Y ffrog sy'n cael ei thynnu gyntaf.
Pîp-o Gwenno!

Ydych chi'n gwisgo'r dillad yma?

fest

ffrog

nicyrs

Beth am olchi wyneb Gwenno?
Scrwb-sblish-sblash!
Am gwningen lân!

Beth sydd yn y bath gyda Gwenno?

sebon

hwyaden

clwt ymolchi

Nawr brwsiwch ddannedd Gwenno.
Brws-a-brws-a-brws.

Gyda beth ydych chi'n glanhau'ch dannedd?

 brws dannedd

past dannedd

mwg

Ble mae gŵn nos lân Gwenno?
Dyma hi yn y cwpwrdd.

Gyda beth ydych chi'n brwsio'ch gwallt?

 drych

 brws

 gŵn nos

Mae'n bryd i ni gael stori amser gwely.
Mae Gwenno eisiau darllen y llyfr ar ei
phen ei hun.

Beth ydych chi'n ei hoffi orau amser gwely?

gwydraid o laeth

llyfr lluniau

tedi

Rhowch Gwenno'n glyd yn ei gwely.
Sws - sws - nos da!

Ust! Ble mae teganau Gwenno?

tedi

dol